我们身边有很多
利用磁铁的性质
制造的物品，
比如银行卡、指南针。

Clever Science Principles – Korean Title Copyright © Aram Publishing, Korea Text by 김인숙
Illustrations by 이형진
First published in Korea by Aram Publishing, Korea
Simplified Chinese Language Translation Copyright © 2021 by Hainan Publishing House Co., Ltd.
This Simplified Chinese language edition published by arranged with Aram Publishing through The ChoiceMaker
Korea Co. and Rightol Media Limited. All rights reserved.

版权合同登记号：图字：30–2021–016 号

图书在版编目（CIP）数据

喀哒！贴在一起啦 /（韩）金仁淑文；（韩）李兴镇
绘；徐刘硕译 . —— 海口：海南出版社，2021.7
 （小小科学家系列）
 ISBN 978-7-5443-9976-0

 Ⅰ . ①喀… Ⅱ . ①金… ②李… ③徐… Ⅲ . ①磁铁 –
儿童读物 Ⅳ . ① O441.3-49

 中国版本图书馆 CIP 数据核字 (2021) 第 094204 号

喀哒！贴在一起啦
KADA! TIE ZAI YIQI LA

作　　者：[韩]金仁淑		北京地址：北京市朝阳区黄厂路 3 号院 7 号楼 102 室
绘　　者：[韩]李兴镇		印刷装订：北京雅图新世纪印刷科技有限公司
译　　者：徐刘硕		电　　话：0898–66812392
出 品 人：王景霞　谭丽琳		010–87336670
监　　制：冉子健		邮　　箱：hnbook@263.net
责任编辑：张　雪		版　　次：2021 年 7 月第 1 版
策划编辑：高婷婷		印　　次：2021 年 7 月第 1 次印刷
责任印制：杨　程		开　　本：787 mm×1 092 mm　1/12
读者服务：唐雪飞		印　　张：2.66
出版发行：海南出版社		字　　数：33.2 千字
总社地址：海口市金盘开发区建设三横路 2 号		书　　号：ISBN 978-7-5443-9976-0
邮　　编：570216		定　　价：49.80 元

嗒哒！贴在一起啦

［韩］金仁淑 文 ［韩］李兴镇 绘

徐刘硕 译

海南出版社
·海口·

小石在图书馆里发现了一本很有趣的书。

书的名字叫作《紧贴在一起吧！磁铁》。

"我要借这本书！"

磁铁的力量非常大。
只要是铁做的东西，
都能被它牢牢吸住。

一回到家，小石马上对妈妈说：
"妈妈，家里有磁铁吗？给我一块磁铁吧。"
于是妈妈把冰箱上的开瓶器给了小石，
"开瓶器背后就有磁铁哦。"

哇哦！

妈妈做家务的时候，小石不停地喀哒喀哒地吸来吸去。

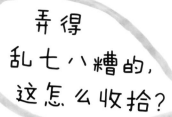
弄得
乱七八糟的，
这怎么收拾？

过了一会儿，妈妈发现小石在干什么，大吃一惊。
小石笑着说：
"妈妈，快来看这个。
就像书上说的那样，
磁铁的力量可真大呀！"
"小石，赶紧把弄乱的东西收拾好！"

小石整理好东西后，又重新读起书来。

磁铁的用处可多啦！
我们身边就有很多利用磁铁做成的东西。
比如，冰箱门能自动关上
就多亏了上面的橡胶磁条的帮忙。

磁条

"冰箱门内侧的边框上贴着磁铁？"
小石连忙向冰箱跑去，
把冰箱门打开又关上，重复了十几次。

小石翻遍了家里的每一个角落，
把书里提到的东西全都找了出来。
然后，拆开这个，剪开那个。
"啊哈，原来这就是磁铁呀！"
小石高兴坏了。
但是……
"小石，你到底在干什么？！"

妈妈生气的时候实在是太吓人了。

机灵鬼小石赶紧安静地坐下来看书。

磁铁拥有两个磁极。

如果我们观察条形磁铁吸曲别针，

就会发现两端吸住的最多。

"哇哦！磁铁两端吸着一串串曲别针呢。"
强烈的好奇心，
让小石坐不住了。
可是家里并没有条形磁铁呀。

你再弄乱房间试试。

小石想起刚刚看到的环形磁铁，
然后把线绑在了环形磁铁上，
再把环形磁铁放到曲别针的上方。
结果就像变魔术一样，曲别针被吸了上来。
妈妈也不再唠叨沉迷在磁铁游戏中的小石了。

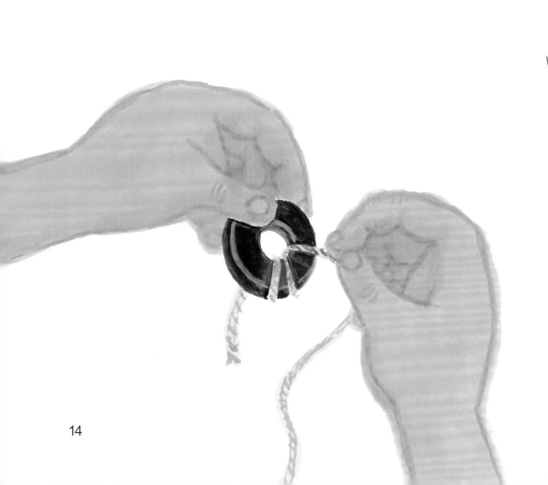

磁铁还有一种奇怪的性质。如果把两个条形磁铁放在一起，磁极相同时，它们会把对方推开，磁极不同时，两个磁铁就会牢牢地吸在一起。

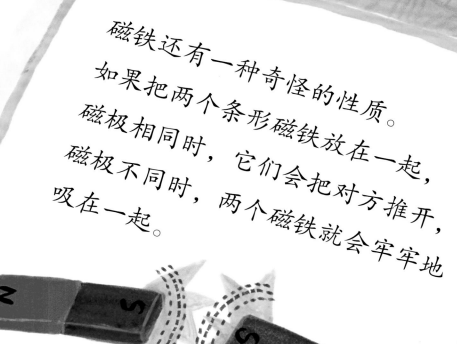
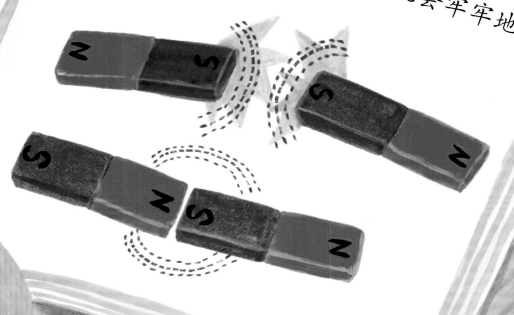

你要去哪里呀?

小石看着书，眼睛瞪得圆溜溜的。
"到底什么时候吸在一起，
什么时候推开对方呢？"
不试试怎么能知道是怎么回事呢？
"好奇心大王"小石跑出去买条形磁铁了。

小石买了两个条形磁铁，
开开心心地回家了。

小石按照书上说的亲自做起实验。
不同颜色的地方，
稍微一靠近就会立刻牢牢地贴在一起。

而颜色相同的地方,
即使费很大劲儿地把它们贴在一起,
它们也总是把对方推开。

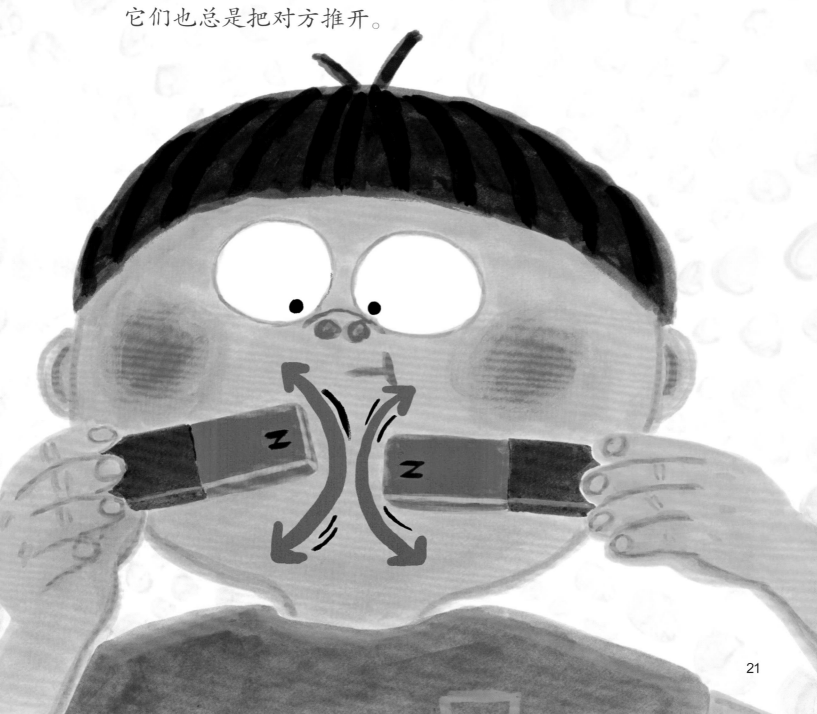

21

磁铁

使用磁铁可真方便。
能让你轻轻松松地开合钱包和文具盒，
无论是什么东西，都可以非常方便地
贴在一起。

磁铁

磁铁

磁铁

磁铁

磁铁

看书的小石又想到一个好主意。
当啷当啷，叮咣叮咣！
妈妈看到小石的样子，拿他没办法，
叹了口气。

磁铁的力气可真大，用处也很多。

25

一起做快乐科学问答

问题一 ▸ 请从下列选项中，选出没有利用磁铁性质的物品。

① 指南针 ② 银行卡 ③ 剪刀 ④ 冰箱门

问题二 ▸ 请从下列选项中，选出有关磁铁的各种性质说法错误的选项。

① 条形磁铁同极之间互相排斥。

② 可以吸住所有铁质的物品。

③ 条形磁铁的不同极之间可以互相吸引。

④ 条形磁铁两端的力量最弱。

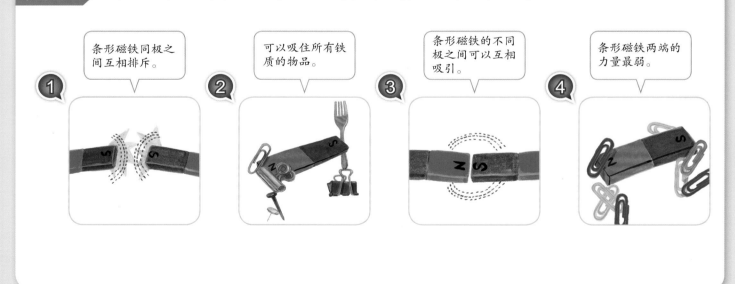

正确答案：问题一③ 问题二④